森林报

春夏

[苏]比安基 ◎ 著　韦苇 ◎ 译

湖南文艺出版社

目 录 contents

春 /1

（一）冬眠初醒月 /2

太阳温暖的手缓缓揭开森林的诗章

林中要闻 /5

白嘴鸦揭开春天的帷幕（发自森林的第一封电报）/雪地里的小宝宝在常绿森林里／从洞里爬出来的是獾（发自森林的第二封电报）

城市新闻 /12

被赶出房子的麻雀

八方呼叫 /14

注意！注意！这里是《森林报》！／喂！喂！这里是北极！

喂！喂！这里是中亚细亚！／喂！喂！这里是远东！

喂！喂！这里是西乌克兰！／喂！喂！这里是新西伯利亚原始森林！

喂！喂！这里是外贝加尔草原！／喂！喂！这里是亚马尔半岛苔原！

喂！喂！这里是高加索山区！／喂！喂！这里是中亚细亚沙漠！

喂！喂！这里是北冰洋！／喂！喂！这里是里海！

喂！喂！这里是波罗的海！

（二）候鸟回乡月 /26

候鸟浴着明艳的阳光归返故乡／鸟类归乡大迁徙

01

林中要闻 / 31

昆虫与小毛球

鸟邮递员带来的快信:春水泛滥

城市新闻 / 34

春天的蝴蝶

(三)唱歌跳舞月 / 36

万绿丛中鸟兽歌舞其乐融融

林中要闻 / 38

森林乐队 / 花粉屋顶

苍蝇兰 / 松鼠也吃肉

胖甲虫

乡村消息 / 46

绵羊脱大衣 / "妈妈,你在哪里呀?"

欣欣向荣的日子 / 给六脚小朋友帮忙

城市新闻 / 49

说人话的鸟 / 蝙蝠暗夜飞行之谜

夏 /53

（一）林鸟筑巢月 /54

森林居民处处成家做窝忙／各式各样的住宅

还有谁会造房子？／集体大宿舍

林中要闻 /59

有趣的植物／狐狸怎样把獾骗出窝

救人的刺猬／毛脚燕的窝

八方呼叫 /68

注意！注意！这里是《森林报》！／喂！喂！这里是北冰洋群岛！

喂！喂！这里是中亚细亚沙漠！／喂！喂！这里是乌苏里大森林！

喂！喂！这里是库班草原！／喂！喂！这里是阿尔泰山脉！

喂！喂！这里是海洋！

（二）雏鸟出生月 /82

禽兽的新一代让大森林生机蓬勃

森林里的娃们 /84

鸟的劳动日／悉心照料孩子的妈妈们

林中要闻 / 87
浆果 / 小熊洗澡
老猫奶大的兔子 / 吃虫的花
八月初的铃兰

（三）结队飞行月 / 94
鸟飞兽走代表着森林活跃而丰富的生命 / 森林里的规矩变了样
蜘蛛飞行家
林中要闻 / 100
草莓 / 八月的雪花
乡村消息 / 104
东躲西藏的灰山鹑 / 猫头鹰为什么不飞走
蜜蜂哪儿去了

（一）

冬眠初醒月

太阳温暖的手缓缓揭开森林的诗章

三月。

森林的新年从三月下旬的春分开始。这一天，白天和夜晚一样长；这一天，太阳管半天，月亮管半天；这一天是森林的节日，鸟兽喜迎回归大地的春天。

人们对三月有个说法，道是"三月暖洋洋，檐水连日淌"。从这个月起，太阳开始驱赶在大地上盘踞了几个月的严寒，积雪一天天塌陷下去，塌成一个个的小窝，颜色也变灰暗了，再不是冬天那模样了——冬天向太阳屈服了，向春天认输了。人们凭雪的颜色就能知道，冬天完了，没戏了。亮晶晶的雪水顺着檐头的根根冰柱滴答滴答,一滴滴,一串串,不停地流淌,天天流啊,流啊,院里院外到处都是一个个的小水洼。小麻雀从角落里飞出来,它们可开心了,在水洼里扑棱着翅膀,洗去身上一冬积下的污垢。园子里的山雀鸣叫起来,声声如银铃摇响,欢快、清脆又响亮。

太阳展开一双温暖的翅膀,把和煦的春光送到人间。春天干活时是有严格程序的,它的第一项工作是把大地从冰雪下解放出来,让土地感受太阳的温暖。不过,这时候,水还在冰下沉睡,被积雪覆盖的森林也还没有苏醒。

在俄罗斯有这样一个习俗:春分这一天的早晨,家家户户都会用面粉做出云雀形状的面包,在炉子上烤了吃。这是一种节日小面包,人们把面团捏成小鸟的模样——在前面揪出鸟嘴,再拿两粒葡萄干,给小鸟按上一对黑油油的眼睛。这一天,按规矩,我们要打开鸟笼,把伴着我们唱了一冬的鸟放归山林。而近些年我们通常就从这一天开始我们的"飞禽月"。孩子们纷纷为我们的羽翼小朋友忙活:把成百上千的鸟屋——椋鸟房、山雀房、做成树洞状的鸟巢——一个个挂到树上去。孩子们把树枝交缠到一起，方便即将到来的鸟儿们来做窝，还为可爱的羽翼小客人们开办免费食堂。学校和俱乐部也在这一天举行护鸟报告会，讲解羽翼大军的到来，将怎样有利于我们的森林、庄稼、果园、菜园。所以，我们对它们应该倍加爱护，应该欢迎这些欢乐的羽翼歌唱家们。

三月，母鸡就可以在家门口喝水了，想喝多少就喝多少。

白嘴鸦揭开春天的帷幕

（发自森林的第一封电报）

春天的帷幕是由白嘴鸦们揭开的。卸去厚厚冬装的地面上，出现了成群成片的白嘴鸦。

白嘴鸦们在俄罗斯的南方越冬。但是北方是它们生儿育女的地方，春天一到，它们就急不可耐地回到家乡来了。在归途中，它们一次又一次遭遇暴风雪的酷寒，几十只，甚至成百只白嘴鸦因为气尽力竭而在半道上丧命了，最先飞回故乡的，自然是体魄最健壮的一批。这会儿它们正休息呢，它们散落在大道上，绅士般地踱着方步，时而伸出它们的硬嘴壳去刨刨土。

本来遮满了天空的大片阴沉的乌云，这会儿不见了，此时在蔚蓝的天空上飘浮着的，是一块块雪堆状的白云。森林里最早的一批小野兽出生了，驼鹿和狍子都长出了新角，黄雀、山雀和戴菊鸟开始在林中唱歌了。我们在等待着椋鸟和云雀飞来。我们还在一棵树根裸露的云杉下，找到了一个有黑熊在里面冬眠的洞，我们轮流在这个洞旁守候，准备等黑熊一出来，就立即报道。

一股股雪水在我们看不见的冰面下汇集。树上的雪也在融化，森林里到处都在滴水，滴滴答答响成一片。但是夜间依旧很冷。到了晚上，严寒又会再度将水冻成冰。

（本报特约记者）

雪地里的小宝宝

田野里还满是残雪，兔妈妈们就已经陆续开始生产了。

小兔一生下来，就东瞅瞅西瞧瞧，身上裹着件暖融融的皮大衣。它们一出世就会跑，只要吃饱奶，就从妈妈身边蹦开,躲到矮树林里,藏到密密的草丛中趴着,悄没声儿的,不叫,也不乱跑乱跳。

第一天过去了,第二天、第三天也过去了,兔妈妈在田野里四处蹦蹦跳跳,早不把自己的孩子们放在心上了。兔宝宝们依旧趴在它们躲藏的地方,它们可不敢随便乱跑哟——它们一动,就会被在天空巡逻的鹰隼(sǔn)们发现,脚印也可能被正到处觅食的狐狸觉察。

它们就这么趴着。终于,它们看见自己的妈妈从眼前跑过去了。噢,不是的,这不是它们的妈妈,而是别的小兔子的妈妈——一个兔阿姨。不过,小兔子还是跑过去恳求:"给我们点儿奶吃吧!"

"行啊,请吧,请吃吧。"

兔子阿姨把小兔子全喂饱了,自己才接着向前跑去。

小兔子又回到矮树林里去趴着。这时,它们的妈妈正在给别的兔娃娃喂奶呢。

原来,野兔妈妈们有这么一种规矩:它们把所有的兔宝宝都看成它们大家的孩子。兔妈妈在田野里跑动，不管在哪里遇到一窝兔宝宝，都会给它们喂奶，无论是自己生的，还是别的兔妈妈生的，反正都一样。

你们以为，小兔子没有大兔子照料，就一定活不成了吧？才不是呢！它们身上生下来就有一身皮大衣，穿着可热乎呢，兔妈妈们的奶浆又稠又甜，它们一顿吃饱了，就能几天不饿。

到了第八九天，小兔子们就能自己吃草了。

◇◇◇◇◇◇◇◇◇◇◇◇◇◇◇◇◇◇◇◇◇◇◇◇◇◇◇◇◇◇

在常绿森林里

常绿植物，不只有在热带或地中海沿岸才可以看到。在北方，有些矮树林也是常绿林。三月间，我们到这种矮树林里去走动，既看不见深褐色的烂叶片，也看不到让人不舒服的枯草。在这样的地方漫步，你的心情会特别舒爽。

灰绿的小松树，毛刺刺的，老远就能吸引住你的目光。在这样的小松树间待上一阵，会让人觉得特别心旷神怡！这儿的一切都生机勃勃：有绿色的青苔，非常柔软；有越橘的叶子，闪闪地透着亮；有帚石南，样子十分优雅，那细枝上的叶子小得出奇，仿佛是一片片小瓦片，枝头上还开着一朵朵紫色的小花呢。

在湿地边缘，还能看到一种常绿的矮树——青姬木。暗绿色的叶子，边缘向上卷起，叶子背面像刷上了一层白粉。不过，谁在这时候站在青姬木跟前，都不会去注意那些叶子，更不会盯着叶子瞧的，因为他会看见一样更使人心神摇荡的东西：花！

这圆钟形的粉红色花朵，漂亮得简直让你心疼。在这样的早春季节，在森林里竟能找到花，还不叫人喜出望外吗？你采上一束，带回家，谁也不会相信这是从野外采来的，准会以为是从暖房里拿来的，因为在这早春时节，人们很少到常绿森林里来走动！

（尼·帕甫洛娃）

从洞里爬出来的是獾

(发自森林的第二封电报)

椋鸟和云雀飞来了,它们边飞边唱。

还没见到熊从洞里出来,我们都等得有些不耐烦了:莫非它们都死在洞里了吗?

正当我们等得心焦时,忽然,积雪一下一下地被拱动了。

不过,从积雪下钻出来的不是熊,而是一只我们不曾见过的陌生野兽,它的个头有出生不久的小野猪那么大,全身披着毛,肚皮黑漆漆的,灰白的脑袋上有两道黑色竖纹。

原来,我们看见的不是熊洞,是獾洞,从洞里爬出来的是一只獾。

獾在洞里睡了一冬,现在饿极了。它不能再睡懒觉了,它得天天夜里到森林里去找吃的,蜗牛、甲虫,逮着什么吃什么;碰上细小植物的根,它也吃;有野鼠,它就更要捉住不放了。

我们继续到处找熊洞,终于,又找到一个洞,这回可是货真价实的熊洞了。

熊还在睡觉。

水漫到冰上来了,积雪塌了下去。

松鸡在为求偶而鸣叫;啄木鸟擂起了鼓,咚咚咚咚,到处都能听见它们啄树的声音;一种白颜色的小鸟,白鹩鸽鸟,正在啄冰吃。

庄稼人不再乘雪橇,而是改驾马车出门了,因为走雪橇的道路已经是一片稀烂了。

(本报特约记者)

被赶出房子的麻雀

椋鸟房旁边响起了喧嚣声和吵架声，闹腾得乱作一团，绒毛、羽毛、草茎随风飞舞。

原来，是椋鸟房的主人回来后，发现自己的房子被占了，就跟来占它窝的麻雀不客气了。它揪住占它房子的麻雀，毫不留情地往外撵；椋鸟赶走了麻雀还不算完，还往外扔麻雀的羽毛褥垫——连麻雀的一丝痕迹都不留下！

有一个人站在脚手架上抹泥灰，他是被雇来修补屋顶裂缝的工人。麻雀在屋顶急得直跳脚，它斜着一只眼睛看了看在屋檐下干活的工人，忽然，它大叫一声，向抹泥灰的工人扑了过去。工人用手里的小铲子一个劲驱赶，他没有想到，麻雀来同他拼命的原因是：他把屋顶的裂缝都封死了，而那裂缝里还有它下的蛋呢。

鸟儿们乱作一团——有大声叫嚷的，有拼命打架的，风把绒毛和羽毛吹向了四面八方。

（尼·斯拉德科夫）

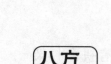

注意！注意！这里是《森林报》！

我们是《森林报》编辑部。今天是春分。

东方！南方！西方！北方！请注意啦！我们向你们呼叫！

苔原和沙漠，森林和草原，海洋和山峦，都请注意啦！我们向你们呼叫！请你们通报那里近来的情况。

喂！喂！这里是北极！

春分，在我们这里是一个重要的节日，经过漫长而又黑暗的冬季，今天头一次出太阳！

头一天的太阳只从海洋里露出了一个头顶，就露了窄窄一条边儿，才几分钟就不见了。

过两天，太阳才会探出半张脸来。再过两天，太阳才会整个儿钻出海面，真正与海面脱离。

等有了高挂在天空的太阳，我们总算可以过上一个短短的白天了。虽说从太阳出来到落下，才差不多一个小时，可这也总算是我们的白天啊。不用说，光明会越来越多——明天，白昼会比今天长一点儿，而后天呢，自然会比明天更长一点儿。

我们这里，水面和陆地都覆盖着厚厚的雪层，结着厚厚的冰，白熊在它们的冰洞里睡得正酣。放眼四望，没有一个绿芽，没有一只飞鸟。现在的北极，只有严寒和风雪。

喂！喂！这里是中亚细亚！

我们已经栽完马铃薯，开始播种棉花。我们这里

的阳光正好,所以街上时不时会扬起一阵阵的灰尘。

满树桃花,满树梨花,满树苹果花,争相开放。扁桃、杏树、银莲花和风信子的花都已经开败了。

防风林带的栽种工作开始了。

在我们这里过冬的寒鸦、白嘴鸦和云雀都飞往北方去了。到我们这里来度夏的毛脚燕、高山雨燕之类的鸟都飞来了,赤麻鸭已在树洞和土洞里孵出它们的小鸭子——它们一跳出窝就会游水了。

◇◇

喂!喂!这里是远东!

我们这里的狗,睡了整整一个冬天,现在醒来了。

不,你并没有听错,我说的就是狗,不是熊,也不是旱獭,更不是獾。你准以为任何地方的狗都不会冬眠,是吧?可我们这里的狗就会冬眠,整个冬天总在睡觉。

我们这里有一种野狗,个头比狐狸略小些,腿短短的，棕色的毛长长的，很密，把耳朵都遮得看不见了。冬季里，它跟獾一样钻进洞里去睡觉，现在它睡醒了，开始捕捉野鼠和鱼了。其实，我说的这种狗并不是真的狗，它的名字叫貉，长得既像狗，又很像美洲的一种浣熊。

在南方靠海的地方，我们捕捉一种身子扁扁的鱼，叫鲽鱼。这种鱼的两只眼睛都长在同一侧，很有意思。在乌苏里边区的原始森林里，小老虎们出生了，它们的眼睛微微睁开着。

我们每天都在等待来自远洋的鱼到这里来旅行、产卵，以往它们年年都来的，今年也一定会来。

✧✧✧✧✧✧✧✧✧✧✧✧✧✧✧✧✧✧✧✧✧✧✧✧✧✧

喂！喂！这里是西乌克兰！

我们在播种小麦。

白鹳从南非回到我们这里，我们十分乐意邀请它

森林报

们来我们的屋顶上住。所以,我们搬来一些沉重的车轮,放到房顶上,让它们在里面做窝。

看,白鹳叼来粗粗的树枝放在车轮上,开始做窝了。

今年蜜蜂迟迟不来,我们那些养蜂人急得要命,因为爱吃蜜蜂的黄喉蜂虎鸟飞来了。这种小鸟乍一看挺文雅,羽毛也很华丽,但其实它们是蜜蜂的天敌。

◇◇◇◇◇◇◇◇◇◇◇◇◇◇◇◇◇◇◇◇◇◇◇◇◇◇◇◇

喂!喂!这里是新西伯利亚原始森林!

我们这里同你们那里差不多,也到处遍布原始林带,多为针叶林和混交林——其实,我们整个国家都横亘着这样的原始林带。

我们这里直到夏天才会飞来白嘴鸦,所以,我们这里的春天是从寒鸦飞来的那天算起的。寒鸦不在我们这里过冬，每年春天，它们都是最早一批飞到我们这里来的鸟。

我们这里一到春天，天气就一下子暖和起来了。春天很短，转眼间就要转入夏天了。

◇◇◇◇◇◇◇◇◇◇◇◇◇◇◇◇◇◇◇◇◇◇◇◇◇◇◇◇◇

喂！喂！这里是外贝加尔草原！

成群的黄羊动身到南方去了，它们要离开我们到蒙古去。

黄羊怕冷，所以融雪的头几天对它们来说，是不折不扣的灾难。白天，雪化成了水；而夜间天一冷，水又结成了冰，一望无际的草原变成了一个奇大无比的溜冰场。黄羊那光滑的蹄子，像站立在镜面上那样，四只脚直往外滑。

黄羊可是要靠它那四条跑起来呼呼生风的腿活命的呀！多少黄羊啊，就在这春寒天气里被狼或别的猛兽

吃掉了!

❖❖

喂!喂!这里是亚马尔半岛苔原!

我们这里还完完全全是冬天,连一丝春天的气息都嗅不到。

驯鹿饥饿难耐,去寻找青苔果腹,它们正用蹄子刨开积雪,把冰面敲破。

乌鸦迟早会飞来的!每年的4月7日是我们的"乌鸦节"——我们把乌鸦飞来的这一天当作春天的开始,就好像是你们那里把白嘴鸦飞来的那天当作春天的开始一样。不过,我们这里根本就没有白嘴鸦。

❖❖

喂！喂！这里是高加索山区！

在我们这里，春天是从下往上到来的，先到低谷地带，然后才一步一步往高处走。

山顶上下着雪，而山脚的谷底里却下着雨。小溪在山间奔流，暴涨的河水很快漫上了河岸，第一股春水在谷地泛滥了。浑浊的河水匆匆流向大海，一路上把冬天积下的东西都冲走了。

在山脚谷底里，花开了，树上的叶子舒展开来。葱翠的新绿，借着南山坡充足、和煦的阳光，一天天向山顶爬上去。

鸟类、啮齿类动物和食草的野兽，都跟着这新绿向山顶移动。随即，狼啊，狐狸啊，野猫啊，甚至连人们害怕的雪豹，也追踪着驼鹿、马鹿、兔子、山羊等等，向山上跑去。

冬天向山顶步步撤退，春天跟在冬天的身后追赶，一切生物也就都紧跟着春天上山了。

喂！喂！这里是中亚细亚沙漠！

我们这里的春天也是很快活的，总下雨，天气还不大热。到处都有小草钻出地面，连沙地上也有。这忽然冒出来的小草都是从哪里来的？真想不明白。

矮树林舒青吐芽了，沉睡了一冬的动物从地底下钻出来了。屎壳郎呀，象鼻虫呀，也都飞出来了，亮晶晶的吉丁虫爬满了矮树林。蜥蜴、蛇、乌龟、黄鼠、沙鼠等小动物，也都从深深的洞穴里爬出来了。

通身漆黑的大兀鹫，成群结队地从山上飞下来找乌龟吃。兀鹫会用它们钩子似的长嘴，把乌龟的肉从硬壳里啄出来。

春天的客人飞来了，它们中有袖珍的漠地林莺，有爱跳舞的沙鹏，有各种各样的百灵——大的蒙古百灵、小的二斑百灵、黑百灵、白翅百灵，还有凤头百灵。空中响满了它们的歌声。

这里的春天温暖而明丽。即使是沙漠，你也不能说这儿是死亡地带，这里也存在各种各样的生命现象呢！

❖❖❖❖❖❖❖❖❖❖❖❖❖❖❖❖❖❖❖❖❖❖❖

喂！喂！这里是北冰洋！

巨大的冰块，甚至整个冰原都向我们漂来。冰上躺着许多浅灰色的海兽，这些侧肋黑乎乎的家伙，是雌格陵兰海豹，它们将在这寒冷的冰面上，生下毛茸茸、白净的黑鼻黑眼的小海豹。

小海豹要过许多日子才能下水，它们得在冰面上躺很久，因为它们还不会游泳啊！

黑脸黑腰的老年雄格陵兰海豹也爬到冰上来了。它们那些短而硬的浅色黄毛正往下脱落，它们躺在漂流的冰面上换毛，直到这黄毛都换完。

侦察员们乘飞机从天空中俯瞰，能看到雌海豹、小海豹和雄海豹密布在冰面上的奇观：海豹们密密麻麻地躺在一起,它们身下的冰都被完全遮住了。

◆◆◆◆◆◆◆◆◆◆◆◆◆◆◆◆◆◆◆◆◆◆◆◆◆

喂！喂！这里是里海！

我们里海北部有冰,所以这里遍布着海豹的巢穴。

有所不同的是,我们这里的小海豹都已经长大了,已经换过毛了。它们一开始是变成了浅灰色,随后变成了棕灰色。海豹妈妈从圆圆的冰窟窿里钻出来的次数越来越少了,现在是它们最后几次出来奶自己的孩子。海豹妈妈也开始换毛了,它们换毛时需要游到别的冰块上去,那里躺着成片的雄海豹,雌海豹得跟雄海豹待在一起改换新装。

我们这里多的是有迁徙习惯的鱼。有里海鲱鱼、不同颜色的鲟鱼和许多其他种类的鱼。它们从海的四方游来,成群成片,挤挤攘攘地游来,一直游到伏尔加河和乌拉尔河的河口一带,它们在那里等待这几条河的上游解冻。

直到这几条河都解了冻，它们就开始拥挤着、碰撞着，一群一群慌慌张张地冲到上游去产卵。它们自己就是从那里的鱼卵里孵化出来的——从北方的伏尔加河、卡马河、奥卡河、乌拉尔河及其大小支流里游出来的。

◇◇◇◇◇◇◇◇◇◇◇◇◇◇◇◇◇◇◇◇◇◇◇◇◇◇◇◇◇◇◇◇◇◇◇◇◇◇

喂！喂！这里是波罗的海！

我们这里的渔民们在等待着冰雪融化，他们在准备着捕黍鲱、鲱鱼和鳕鱼。而在芬兰湾和里加湾，春天来了，就能抓到鲑鱼、胡瓜鱼和白鲑。

我们这里的海港正相继解冻，轮船从这些海湾里开出去，到世界各地做长途航行。

世界各地的船舰也开始向我们这里驶来。冬天即将过去，波罗的海上的欢乐日子就要到来了。

（二）

候鸟回乡月

候鸟浴着明艳的阳光归返故乡

四月是融雪的月份。

四月现在还没有苏醒，可它很快就会苏醒的。四月一来，天气就将暖和起来了。你瞧着吧，还会发生许多值得一看、值得一听的事呢！

在这个月，水从山上淌下来，鱼儿也从它们避寒的洞穴里游出来了。春天把大地从积雪底下拽出来，接着就执行它的第二项任务：把水从冰层底下解放出来。雪水汇聚成小溪，无声地流入河床。河水涨起来，挣脱了冰的羁绊。春水滚滚奔流，越流越湍急，于是谷地就泛滥起一片大水了。

土地饮足了春水和春雨，就披上了浓绿的新装，上面还缀着五彩斑斓的春花，它那娇羞的样子，着实好看呢！森林却还光溜溜地站立在那里。森林知道，春天总会来关顾它的，到时候，一定会来让它变得丰茂和华美的。其实，它也就是外表看起来赤裸，树干里头已经有生命在暗暗地涌动了。看！树梢上的芽膨胀了，地上的花开了，枝头的花也将要绽放在空中了。

鸟类归乡大迁徙

在南方越冬的鸟类，像海浪奔涌一般，一波一波地从越冬地起飞。它们的飞行都保持着严整的秩序，成群结队地往自己的出生地进行大回迁。

今年候鸟迁徙经过我们这里时的空中路线，还同往年一样。它们飞行时所遵行的那套规矩，还一如它们的祖先，这规矩几千年、几万年、几十万年都不会变的。

头一批启程的,是去年秋天最后一批离开我们的鸟;最后动身的,是那些去年秋天最先离开我们的鸟。在这些鸟群后面飞来的,是那些羽毛鲜亮华丽的鸟,它们要等这里新春的青草绿叶长出来后才飞到这里。因为如果飞来得早了,在空无一物的大地上、树木上,它们会太过显眼。现在我们这里还找不到可供它们掩蔽的地方,也找不到可供它们躲避猛兽和猛禽、让天敌都发觉不了它们的东西。

鸟类的海上飞行路线,恰好穿过我们的城市,经过城市的上空。这条空中飞行线叫作"波罗的海线"。

这条海上长途飞行路线,一端在阴冷的北冰洋,另一端在炎热的地方,那里阳光充足,花繁树茂。无数的鸟群,包括海鸟群和栖息在海边的鸟群,都在空中飞行。一种鸟有一种鸟的队形,它们沿着非洲海岸飞行,穿过地中海,经过比利牛斯半岛和比斯开湾的海岸,越过一条条海峡,飞过北海和波罗的海。

一路上,有许多障碍在等待着它们。浓雾像厚厚的幕墙，会突然出现在这些羽翼旅行家们面前。它们在昏暗的夜空中看不清方向，迷了路，就盲目地四处冲撞，要是碰上了雾中的悬崖峭壁，就不免粉身碎骨。

海上暴风频频刮断它们的羽毛，挫伤它们的翅膀，把它们吹到离海岸很远的地方去。突如其来的春寒把一些海水冻成了冰，有些鸟耐不住苦寒和饥饿，就在半道上丧命了。

还有成千上万的鸟，丧身在那些贪得无厌的猛禽——雕、鹰和隼的利爪之下。

候鸟迁徙期间，有许多猛禽集合到了这条海上飞行的路线上。它们不用出什么力，不用费什么劲，就能享受到轻易到手的丰美野餐。

也有数以千万计的海鸟，死在猎人的枪口下。

可是，重重艰险阻挡不住羽翼旅行家们那浩浩荡荡的飞行队伍。它们穿过浓雾，冲破一切障碍，向着自己的出生地飞来。

我们这里的候鸟并不都是在非洲过冬的，所以，也并不都是途经波罗的海的候鸟路线。有些候鸟是从印度飞到我们这里来的,有一种叫灰瓣蹼鹬(yù)的鸟,它们越冬的地方更远,在美洲。它们匆匆飞到这里,得穿过整个亚洲。从它们过冬的住处飞到阿尔汉格尔斯克附近的老巢,它们差不多得飞行一万五千公里,路上要耗费两个月的时间呢。

昆虫与小毛球

黄花柳开花了。它那青灰色的长满疙瘩的枝条虽然粗壮,却被无数轻盈的鲜黄色小毛球遮掩得看不见了。它浑身毛茸茸、轻飘飘的,快乐地浸浴在无限春光中。

柳花盛开,树丛四周热闹非凡,昆虫的节日到来了。熊蜂嗡嗡响成一片;蜜蜂们专心致志地在忙着翻动一根根纤细的雄蕊,采集花粉。

蝴蝶翩跹而来。瞧,这是一只黄色的蝴蝶,翅膀上长着鲜丽的花纹,它是钩粉蝶;而那边那只眼睛很大的棕红色的蝴蝶,是荨(qián)麻蛱(jiá)蝶。

再瞧这边,一只黄缘蛱蝶在黄色小毛球上面停落了,它用它那带有黑块的翅膀遮住了黄色小毛球,把吸管深深插进雄蕊里去寻找花蜜。

这里的柳树不止一种。在这些鲜艳的、充满喜气的柳树丛旁，还有一种也开了花的柳树，但它的花完全是另一个样子。它的花是些灰绿色小毛球，虽然也很蓬松，但样子并不好看。灰绿色小毛球上面也停着昆虫，却远没有黄色小毛球那边热闹。然而，你别小看它，正是这种树才能真正结出种子！原来，昆虫已经把黏糊糊的花粉从黄色小毛球上，搬到灰绿色小毛球上来了。用不了多久，每一个小瓶子似的长长的雌蕊里，都将结出种子来——一批新的柳树的生命，将成功地在这里孕育。

（尼·帕甫洛娃）

鸟邮递员带来的快信：春水泛滥

春天，雪融化得很快，河水说涨就涨了起来，迅速淹没了两岸。有些低洼地带成了一片汪洋。动物遭殃的消息从四面八方传来，受灾最重的是野兔、鼹鼠和田鼠，还有其他一些生活在地面和地下的小动物。大水一下冲进了它们的住宅，这些小动物们只好弃家外逃。

小动物们都想逃命，逃得越快越远越好。

小个子的鼩鼱（qújīng）逃出洞来，爬上矮树林，蹲伏在树枝上等水退去。鼩鼱奔逃的样子真是可怜，因为它太饿了。

水涨得太猛了。要不是鼹鼠逃得快，它就会被迅速漫上来的水淹死在自己洞里了。它从地底下爬出来，冲出水面，迅速游动。它得找个干燥的地方去避难。

鼹鼠倒是个出色的游泳能手，它游了好几十米，才爬上岸来。它觉得自己的运气不错。鼹鼠那身油亮亮的毛皮，本来是很容易被猛禽发现的，不过幸好附近没有猛禽出没。它爬上岸后，就赶忙钻到地下躲起来了。

（本报通讯员）

 森林报

春天的蝴蝶

这一层绿雾就像我们冬天呼出来的气似的,透明而柔和,把树木都笼罩了。这种绿莹莹的雾,要等头一批黏糊糊的叶子长出来后才消散。

这时,飞来了一只美丽的大蝴蝶,是黄缘蛱蝶。它的翅膀黑黑的,上头散布着一些浅蓝色的圆斑,宛如平铺的天鹅绒。它的翅膀边缘是黄白色的,像是浓丽的颜色到这里就褪去了,散尽了。

接着又飞来了一只十分引人注目的蝴蝶。它很像荨麻蛱蝶,只是比荨麻蛱蝶小一些,颜色没有荨麻蛱蝶鲜艳。它是淡棕色的,翅膀上有很深的锯齿状缺口,好像被扯破了似的。

如果你捉一只来仔细瞧一瞧,那么你立刻就能发现,它翅翼下方有一个白色的字母"C",看上去清楚

得让人以为这是故意打上去的白色字母,是一个做上去的记号。但这个字母并不是人为的,这类蝴蝶的学名就叫"C字白蝶"(白钩蛱蝶)。

　　白颜色的蝴蝶眼看越来越多,暗脉菜粉蝶和大菜粉蝶也快出来了。

（三）
唱歌跳舞月

万绿丛中鸟兽歌舞其乐融融

五月。

到五月了——这是尽情歌唱和尽情玩乐的月份！到了这个月，春天的所有心思都用来做它的第三件事：给森林披上绿装。

森林里欢乐、喧闹的月份开始了——五月可是森林的唱歌跳舞月啊！

太阳的光和热完全战胜了冬日的暗和寒。在我们这里离北极不远的地方，晚霞和朝霞握上了手——白夜就这样开始了。生命一旦收复了土地和水，就又昂然挺起了腰身，显示出自己固有的活力。新生的树叶亮晶晶的，它们缀成了翠绿的盛装，披在高大的树木上，于是森林顿时焕发出蓬勃的生机。凡是有翅膀的昆虫，都飞起来了。当苍茫暮色降临大地的时候，喜欢在黑暗中活动的夜鹰和蝙蝠，就纷纷飞出来捉昆虫吃。中午这段时间则是属于家燕和雨燕的。雕和鸢在旷野和森林上空不停地盘旋。田野上空的隼和云雀飞得那么平稳，像是被一根无形的线吊挂在了云彩上。

没有铰链的咿呀声，门却打开了，门里的金翅居民——那些一刻不闲的蜜蜂飞出来了。大家都在唱，都在玩，都在做游戏，都在舞蹈：黑琴鸡在地上跳；野鸭在水里舞；啄木鸟在树上转；扇尾沙锥，是"天上的绵羊"，它们在森林上空翻跹。这五月，正如诗人所说："在我们俄罗斯，所有的鸟，所有的野兽都在狂欢，肺草从枯败的树叶下钻出来，在树林里幽幽地发蓝。"

我们把五月叫作"嘿"月，你倒是说说，这是为什么？

因为五月的天气既温暖，又凉爽。白天有阳光照拂，和煦温暖；而到了夜晚，嘿，真是太凉爽啦。热，也是五月热得舒坦；凉，也是五月凉得惬意。

森林乐队

还没到五月,夜莺就唱起它的歌了,白天尖声地啼,夜里悠扬地啭。

孩子们觉得这鸟儿也太不可思议了,它们日日夜夜地唱,什么时间睡觉呢?孩子们不知道,鸟儿在春天是没有时间睡大觉的,它们想睡了,就小憩一会儿。它们唱一阵,稍稍打个盹儿,醒来又唱。一般也就是中午睡上一小觉,半夜睡上一小觉。

艳艳的朝霞布满东方天际,彤彤的晚霞映红西方天空。在这两段时间,整个森林里的鸟儿都在唱歌奏乐,能唱什么就唱什么,能奏什么就奏什么,反正是各唱各的,各奏各的。你走进森林,就可以听到歌声嘹亮、乐器齐响。这边是提琴奏响,那边是皮鼓频敲,更远处则是笛声悠扬。呜呜声、咕咕声、吱吱声、嗡嗡声、呱呱声、嘟嘟声,响作一团,要多热闹有多热闹。

苍头燕雀唱了,夜莺唱了,它们的歌声清脆而嘹亮;欧歌鸫是特别爱唱、特别能唱的鸟,它的歌声也一样是脆亮的,传得很远;提琴是甲虫和蚤斯拉响的;鼓声是啄木鸟敲响的;而像笛声一般尖尖的声音,是金色黄鹂和格外袖珍的白眉歌鸫演奏的。

狐狸和雷鸟的叫声有点儿像狗吠;马鹿的叫声有时像人咳嗽;狼呜呜哇哇地嗥;雕鹗不时地哼哼;熊蜂和蜜蜂不停地嗡嗡嘤嘤;最能喧闹的是青蛙,咕咕呱呱,它们压根儿就不知道什么是疲倦。

嗓音不好听的动物也叫,它们不觉得有什么不好意思的。它们各自选择乐器,无论难听还是好听,反正就是尽情地玩乐。

啄木鸟啄的都是枯树。它用嘴壳频频向枯树啄去,于是森林里就响起了皮鼓的咚咚声,那坚硬的嘴壳就是它们最好的鼓槌。

而天牛的脖子不停地扭动,扭得嘎吱嘎吱连声响——这不活脱脱是个小提琴演奏家吗?

蠡斯把细爪子背过去抓翅膀,它们的细爪子上有小钩子,而翅膀上有锯齿,一摩擦就发出声音了。

草鹭把自己的长喙伸进水里,使劲一吹气,水就咕噜咕噜响了起来,整个湖也就公牛似的哞哞响个不停。

这扇尾沙锥就更绝了,竟用尾巴参加森林大合唱。它嗖的一下腾空而起,在云端展开翅膀,然后头朝下哧溜直冲下来。这时,它的尾巴兜着风,就发出了咩咩的响声,于是森林上空就传来了小羊羔的叫唤声!

森林的乐队就是这样热闹。

花粉屋顶

花朵里最娇弱的东西是花粉,花粉要是被打湿了就会坏掉,雨水和露水对它都有害。那么,花粉怎样才能保护自己不被雨露沾湿呢?

铃兰、黑果越橘、越橘的小花,都像一个个小铃铛似的倒挂着,所以它们的花粉是藏在"屋顶"底下的。

金莲花的花是朝天开的。它的花瓣像小瓢儿那样向里弯着,一层花瓣的边儿压着另一层花瓣的边儿,这样,就形成了一个四面都能挡水的蓬松小球。就算雨点打在花上,也不会有一滴水落到里面的花粉上。

凤仙花的花蕾干脆就躲在叶片下面。这办法要多巧妙就有多巧妙——花梗架在叶柄上,为的是花能牢牢固定在叶子底下,就像在屋顶下面一样,让雨淋不到它。

野蔷薇花的雄蕊很多,下雨的时候它就闭拢花瓣,让雨淋不进来。睡莲也是这样,风雨天总是闭合自己的花瓣。

毛茛的花向下垂,雨露也打不湿它的花粉。

(尼·帕甫洛娃)

苍蝇兰

兰花,这种讨人喜欢的花,在我们北方是个稀罕的东西。你一看见它,就会想起它那闻名遐迩的亲戚——那长在热带森林里的一种清香扑鼻的奇兰。在我们这里,兰花是生长在地上的;而热带森林里的那种兰花,是长在树上的。

我们这里有几种兰花,根生得很是奇妙,形状仿佛一只撑开指头的小手。有的花非常好看,有的花则一点儿也不好看。不过,只要是兰花,就没有不清香四溢的!无论哪一种兰花,散发出来的香味都让人迷醉!

我不久前在罗普沙看见了一种兰花,我觉得这是我们这里的兰花中最妙、最奇特的一种。这种兰花我之前从来没见过,它长着五朵漂亮的大花。我刚把一朵花朝上翻起来看,就立刻厌恶地缩回了手——没想到有一只黑褐色的怪苍蝇叮在花上。我拿一条麦穗拍了它一下,它一动也不动。我又睁大眼睛仔细看了看,原来那不是苍蝇,而是花的一部分。它的身子像天鹅绒般柔滑,上面还散布着一些淡蓝色斑点，有毛茸茸的短翅，有头，竟然还有一对触须。不过，这无论如何都不是苍蝇。

后来我才知道，这种花叫苍蝇兰，我还真是第一次见识呢！

（尼·帕甫洛娃）

松鼠也吃肉

松鼠一整个冬天都在剥松果吃，还会吃秋天储存在洞里的干蘑菇。不过，现在到了它吃肉的时候了。

这会儿，好多鸟都做了窝，还产了蛋，有的甚至已经孵出了小鸟。这正对了打算吃些荤食的松鼠的胃口。它在树枝上和树洞里蹿来蹿去地找鸟窝，把窝里的小鸟和鸟蛋偷来充饥果腹。

平常看起来非常乖巧的松鼠，在做破坏鸟窝这种坏事时，干得却也不比其他猛禽差呢！

胖甲虫

我找到一只甲虫,却不知道它叫什么名字,也不知道应该喂它吃什么东西。

它的模样很像瓢虫,只是瓢虫是红褐色的,背上布满了圆圆的白色斑点,而这只甲虫浑身黑漆漆,身子圆溜溜的,个头就比豌豆大一点儿,有六只脚,还会飞。它背上有两片黑黑的硬翅膀,硬翅膀底下,还藏着一对黄色的软翅膀。它翘起黑翅膀,张开黄翅膀,就飞起来了。

有趣的是,当它遇到危险的时候,就会把小爪子往肚皮下一收,把触须和头一缩。我把它拿在掌心里瞧了瞧,活像是一颗黑色的水果糖。

不过,要是你有一阵子不碰它,它就会伸开六只小脚,接着伸出脑袋,最后伸出触须。

我恳请你们回答我:它是什么甲虫?

(柳霞·刘托妮娜)

编辑部的答复

你把这只小甲虫描述得很仔细,所以我们马上就知道它是什么甲虫了。它叫阎魔虫,是水龟甲科里的一种。它爬动的速度很慢,走起路来像乌龟那样挪方步。它也会像乌龟那样把脑袋缩进硬邦邦的躯壳里去。它的甲壳非常深,能把自己的头、腿、触须都藏在里面,让它看起来像一颗水果糖。

阎魔虫有很多种:有黑的,也有其他颜色的。它们都吃腐烂的植物,还有动物的粪便。

有一种黄色的阎魔虫,浑身都长着细毛,住在蚂蚁窝里。它想飞去哪里就飞去哪里,可回来还住蚂蚁窝。蚂蚁也不惊扰阎魔虫,它们保护自己的窝,也保护寄居在窝里的房客,让阎魔虫不受天敌的袭扰。

绵羊脱大衣

天气渐渐热了,绵羊得脱掉大衣了。牧羊人把绵羊赶进绵羊理发室,等待在那里的都是很有经验的剪羊毛高手,他们用电剪子给绵羊剪毛。他们咔嚓咔嚓地剪下羊毛,就好像给绵羊脱掉了身上的冬季大衣。

❖❖❖❖❖❖❖❖❖❖❖❖❖❖❖❖❖❖❖❖❖❖❖❖❖❖❖❖❖❖

"妈妈,你在哪里呀?"

牧羊人过来,把剪完毛的绵羊妈妈和小绵羊放到一起,这时小绵羊都不认识它们的妈妈了。

小绵羊急得咩咩叫,伤心地说:"你在哪里呀?妈妈,你在哪里呀?"

牧羊人帮助每一只小绵羊找到妈妈后，便又回到绵羊理发室，忙着给下一批绵羊剪毛去了。

◇◇◇◇◇◇◇◇◇◇◇◇◇◇◇◇◇◇◇◇◇◇◇◇◇◇◇◇◇◇

欣欣向荣的日子

果园里，欣欣向荣的日子来临了。草莓的花已经开过，矮矮的、圆圆的樱桃树上正开放着雪白的花。昨天，梨树枝头的花蕾绽开了；再过两天，苹果树也要开花了。

◇◇◇◇◇◇◇◇◇◇◇◇◇◇◇◇◇◇◇◇◇◇◇◇◇◇◇◇◇◇

给六脚小朋友帮忙

跟农业有关的昆虫很多。说到昆虫，我们常常想到它们是庄稼的敌人。可我们竟忘记了，有多少六脚小

朋友正在田里为我们干活；我们竟忘记了，在为庄稼授粉的事业上，它们起了多大的作用啊！许多种有翅膀的六条腿的昆虫，譬如蜜蜂、熊蜂、寄生蜂、蝴蝶、苍蝇等等，在为黑麦、荞麦、苜蓿、向日葵等植物授粉，把花粉从一朵花送到另一朵花上。

经常有这样的情况：这些六脚小朋友的力量不够，不能让我们的庄稼全都得到足够的花粉。这时，我们只得用手来帮它们一把。

我们用一条长长的绳子来为黑麦、荞麦、苜蓿等授粉。两个人拉一条绳子，一人拉一头，从开花的庄稼梢头上拖过去，把梢头碰得弯下来。这样，花粉就从花上撒落下来，随风散播到整片田地；或沾在绳子上，被带到别的花上去。给向日葵授粉，用的则是另一种方法：把花粉沾在一小块兔皮上，再用这块兔皮把花粉扑到所有正在开花的向日葵花盘上。

说人话的鸟

有人到《森林报》编辑部里来说：

"早晨，我在公园里散步。忽然，有谁用尖尖的声音在矮树林里问我：'可见特里希卡？'那声音很响，而且一直这样问，反复问。我转着圈看了看四周，没有人，只有一只全身上下通红的小鸟站在矮树林里。我定定地看了它一阵，心里不住地琢磨起来。这是什么鸟啊？它的声音这样清楚，它问的那个'特里希卡'是谁呢？接着，它又问开了：'可见特里希卡？'我向它走近一步，想到跟前去看个清楚，它却哧溜一下逃进矮树林里去，不见了。"

这人看见的鸟，名叫朱雀。它是从印度飞来的，它的尖哨声听起来像是在问什么。不过，听过的人都按照自己的想法把它翻译成了人话。有的人以为它在问

"可见特里希卡?",而有的人以为它是在问"可见格里西卡?"。

❖❖❖❖❖❖❖❖❖❖❖❖❖❖❖❖❖❖❖❖❖❖❖❖❖❖

蝙蝠暗夜飞行之谜

夏天,傍晚时分,一只蝙蝠飞进了我们敞开的窗户。

"把它赶走!把它赶出去!"女孩们惊惶地用围巾包住自己的头,大叫起来。

一个老爷爷嘟哝着:"包头干什么!它扑的是窗户里的亮光,不会往你头发里钻的!"

科学家们不理解,为什么蝙蝠在漆黑的夜里能够十分自如地飞行。它们从哪里来,要回哪里去,总是一点儿也不会出错。

于是科学家做了这样的实验:把蝙蝠们的眼睛蒙起来,把它们的鼻子堵起来,然后放开它们,任它们飞。即使这样，它们照样能在空中躲开一切障碍，连拴在天花板上的细线都能避开，它们灵巧的身体可以躲开任何天罗地网。

直到人们发明了声波探测仪，这个谜团才被解开。科学家们探测的结果表明：所有的蝙蝠在飞行时都会用嘴发出超声波——一种人耳听不见的、非常尖细的叫声。这声波无论碰到什么障碍，都会反射回蝙蝠的耳朵，蝙蝠的耳朵就会收听到"前面有墙""有线""有蚊子"之类的信号。但是，女人的那种细而密的长头发，是不能很好地反射超声波的。

老爷爷当然没有什么可担心的，因为他没有头发。然而，女孩子们有着浓密的秀发，的确有可能被蝙蝠误认为是"窗户里的亮光"，它们很可能会冲着女孩子们当中的一个飞扑过去。

（一）
林鸟筑巢月

森林居民处处成家做窝忙

六月。

玫瑰花开放了，候鸟也已经飞回故乡，大地迎来了夏天。现在是白天最长的时候，在遥远的北极甚至没有了夜晚：太阳不会落下。在湿润的草地上，太阳的光芒播撒下了富丽的色彩——金莲花开了，驴蹄草开了，毛茛花开了，把草地染得金黄。

六月，人们每天和太阳同时醒来，趁晨光充沛的黎明时分，外出采集药用植物的花、茎和根，晒干了收藏在家里，一旦生了病，就可以把储存在它们之中的太阳的生命力，移进自己的体内，让精神重新焕发起来。

夏至是一年中白昼最长的一天，在六月二十一日（或二十二日）。过了这一天，太阳挂在天上的时间就要一点点变短了。

当然，夏天白天变短的速度是很慢很慢的，就跟春天白天变长的速度一样慢，不过人们还是觉得白天变短的速度有点儿太快了。俗话说得好："夏天亮晃晃的眼睛，透过篱笆缝正瞧着我们呢……"

所有在春天给我们唱歌的鸟，现在都有了自己的窝。所有的窝里，都有了蛋。它们的蛋，什么颜色都有。娇嫩的雏鸟，从薄薄的蛋壳里显露出它们柔弱的生命之光。

◇◇◇◇◇◇◇◇◇◇◇◇◇◇◇◇◇◇◇◇◇◇◇◇◇◇◇◇◇

各式各样的住宅

禽鸟各自安家后，孵化雏鸟的季节到了。林中居民全都为自己建好了房子。

我们《森林报》的记者决定去各地寻访，了解一下飞禽、走兽、鱼儿、虫子，它们都住在哪里，日子又过得怎么样。

一看便知，如今葱茏的树林中上上下下都住满了森林居民，一处空地也找不到了。地面上、地底下、水面上、水底下、树枝上、树干中、草丛里甚至半空中，都住满了生命。

盖在半空中的，是金色黄鹂的住宅。黄鹂用大麻、草茎和毛发编成一只轻巧的小篮子，再将这个小篮子挂在笔直的白桦树上，当自己的居所。黄鹂的蛋就安放在那个小篮子里。那住宅简直让人不敢相信——风摇动树枝，可它们的蛋却不会滚出来。

在草丛里建住宅的，有云雀，有林鹞，有黄鸸，还有许多别的鸟。最叫我们的记者喜欢的，是欧柳莺的窝棚。这窝由干草和枯苔藓搭成，上面有顶棚可以遮风挡雨，侧边还开有一道进出的门。

把居室做在树洞里的，有脚趾以薄膜相连的鼯鼠，有木蠹蛾、小蠹虫、啄木鸟、山雀、椋鸟、猫头鹰和好些别的鸟。

把住宅建在地下的,有鼹鼠、老鼠、獾、崖沙燕、翠鸟和各种各样的虫子。

凤头䴙䴘是一种可以潜水的鸟。它的窝浮在水面,是它衔来湿地里的草、芦苇和水藻堆砌而成的。一只凤头䴙䴘就住在草湖的浮窝里,在水面漂过来漂过去,住在家里就像是在坐木筏。

石蛾和水蛛的迷你小房子,造在水底下。

还有谁会造房子?

我们的记者找到了鱼做的窝。刺鱼为自己营造了名副其实的窝。造窝的活由雌雄刺鱼一起来干。雌刺鱼捡来那些分量重的水草草茎,咬断,衔到造窝的地方。之所以用这些分量重的草茎,是因为用它们造出来的窝很稳固,不会漂浮。雄刺鱼用草茎编起墙和天花板,再用唾液把它们粘住，加固好，然后用苔藓把草茎间的小窟窿填塞起来。它还会在窝的墙上开两扇门。

我们的记者还找到了巢鼠的窝。巢鼠个子小，它做的窝跟鸟窝一模一样，也是用草叶和撕成细丝的草茎编成。它的窝建在圆柏的树枝上，离地约两米。

集体大宿舍

森林里也有集体宿舍。

蜜蜂、黄蜂、熊蜂、蚂蚁的大公寓，能住下成百上千的房客。

白嘴鸦占据果木园、小树林，将这些地方视作自己的移民区。在那里，许许多多窝聚集在一起。鸥鸟占据了湿地、砂岛和浅滩，崖沙燕在陡峭的断崖上凿了无数个小洞，把断崖凿得像个大筛子。

有趣的植物

现在,每个池塘的水面上,都遍铺了浮萍。有些人把这叫作水藻,其实水藻是水藻,浮萍是浮萍。浮萍这种植物很有趣,跟其他植物很不一样。它的根细细长长,水面上还浮着圆圆的小绿片,像叶,但这不是它的叶,浮萍是没有叶子的。小绿片上面凸起的那些形状似小烧饼的东西,是它们的茎和枝。偶尔也能看见它们开花,但这并不常见。浮萍用不着开花,它们繁殖不靠花,而是用另一个既快又简便的方法——只要从这小烧饼似的茎上脱落下一个小烧饼似的枝,这枝就能在水里长成另一株浮萍。

浮萍的日子过得挺自在,它漂到哪里,哪里就是它的家,什么也拴不住它。有野鸭来游水,浮萍就会挂在野鸭的脚蹼上,这样,它就会被野鸭带着,飞到另一个池塘里去。

◆◆◆◆◆◆◆◆◆◆◆◆◆◆◆◆◆◆◆◆◆◆◆◆◆

狐狸怎样把獾骗出窝

狐狸家遭灾了！它住的那个地洞的天花板塌了，差点儿把它的狐崽儿压死。狐狸一看，房子塌成这样，绝对住不成了，非搬家不可了。

于是，狐狸到獾家去。獾家的洞窝是自己挖的，挖得非常好，谁都知道它是挖地道的行家：出入口有好几个，以防敌人突然来袭击它。

獾的洞很宽敞，住下两家都不嫌挤。狐狸求獾分给它一间住，却被獾一口拒绝了，一点儿商量的余地也不留。獾生来爱整洁，家里一切都井井有条、干干净净，弄脏一点儿它都会心神不安。怎么能容忍拖儿带女的狐狸住进它家来呢！

獾把狐狸撵出了门。

夏

"啊哈！"狐狸恨恨地想，"你真不够朋友，那好，你就等着瞧！"

狐狸头也不回地走了，看起来像是走进了树林，但其实它是拐了个弯，随后又择机绕回来，躲到离獾家不远的矮树林后面，蹲在那里，等待下手的时机。

獾从洞里探出头来，左右窥探了一下，看狐狸走了，就爬出洞，到树林里去捕食蜗牛充饥了。

狐狸从矮树林背后钻出来，哧溜一下钻进了獾洞，在地上拉了一泡屎，把獾洞弄得脏兮兮、臭烘烘的，然后飞快地跑开了。

獾回家一看，天哪，地上怎么有一泡屎，还臭得直刺鼻！它十分恼恨，快快地离开了，另找地方挖新洞去了。

狐狸要的就是这个结果：把獾赶走。它转身去把小狐狸叼过来，在宽敞又舒适的獾洞里住下了。

◇◇◇◇◇◇◇◇◇◇◇◇◇◇◇◇◇◇◇◇◇◇

救人的刺猬

天才蒙蒙亮,玛莎就醒了,她穿上连衣裙,还赤着脚,就急急忙忙往森林里跑去。

森林里的一个斜坡上,长着许多甜甜的草莓,玛莎就是奔着这甜果来的。她的手很灵巧,动作也很快,不一会儿就采了一小篮,准备转身回家。一路上,她心花怒放,在沾满露水的冰凉的草墩上又蹦又跳。突然,她脚底向前一滑,疼得大叫起来。原来,她的一只脚滑下了草墩,被什么东西戳得鲜血直流。

原来,这会儿正巧有一只刺猬蹲在草墩下,它把身子缩成一个圆球,在那里不停地叫。

玛莎呜呜地哭了。她坐到身旁的草墩上,撩起连衣裙的下摆,开始揩脚上的血。

刺猬不叫了。

突然,一条大灰蛇,一条背上横有锯齿形条纹的蛇,直直地向玛莎蹿过来。这是条剧毒的大蝰蛇!玛莎吓得全身都软了。蝰蛇越蹿越近,一边发出咝咝的叫声,一边频频吐着它那分叉的舌头。

说时迟那时快,刺猬忽然挺直身子,撒开四只小腿,飞奔着向蝰蛇勇敢地扑去。蝰蛇抬起整个上半身,像鞭子似的抽过来。刺猬则敏捷地竖起身上的刺儿,迎向毒蛇。蝰蛇咝咝地狂叫起来,想掉转身体逃走。可刺猬却仍不放过它,刺猬猛的一下扑到它身上,从背后咬住它的脑袋,用爪子捶打它的背。

这时候,玛莎才清醒过来,她赶忙站起身来,急急忙忙向家的方向跑去。

毛脚燕的窝

六月二十五日。

我每天都看着毛脚燕夫妇进进出出,看它们忙碌地做窝。它们的窝一天天往上升高,往外膨大。它们总是一大清早就开始忙活,近午时分稍事休息,下午又进行加固，修补，直到日落前一两个钟头才收工。它们不能不停地往湿窝上贴泥，这样是贴不住的，得让湿泥干一干，然后才能接着往上贴。

偶尔，别的燕子也过来做客。要是公猫费多赛齐不在房顶上，小客人就在横梁上逗留一阵，和和气气、叽叽喳喳地聊聊家常。新建窝巢的主人，也不会撵客人离开的。

现在，窝已经像下弦月的样子了，就是两个尖角偏右的船形月亮的样子。

我很明白它们为什么要把自己的新房建成这个样子，为什么修建的过程中左右两边不一样高。因为这窝是雄燕与雌燕一同出力修建的，而它们两个出的气力却不尽相同，雌燕衔泥飞回时，头总往左边扭，它干活很卖力，飞出去衔泥的次数也比雄燕要多得多，所以左边粘上去的泥自然要多些，窝墙也就高些。雄燕飞出去，几个钟头都不回来，它一定是在跟别的燕子在空中追逐嬉戏。它衔回泥来，头总往窝的右边歪。它干活这样拖沓，自然右边的窝墙要矮一截了。就这样，燕子窝的左右两边总不一般高。

雄燕就这么懒！它也不知道懒惰是可耻的啊！照理说，它的体格比雌燕还强健些呢。

六月二十八日。

毛脚燕夫妇已经不再衔泥了。它们开始往窝里叼干草，衔绒毛，着手铺床垫了。我万万想不到，它们竟然把全部建筑工程预想得这么精细、周密。现在我才恍然大悟，原来，本就该让窝的一边比另一边盖得快些的！雌燕垒的左边已经到顶了，雄燕垒的右边还离顶部有些距离。这样，这窝就成了一侧高一侧矮的圆泥球，在右边自然就有了个进出口。

出入的门户本就该提前留好，窝本来就应该做成这个样子！要不然，这对毛脚燕夫妇从哪儿进出自己的家呢？这不是明摆着的吗？是我骂雄燕懒惰骂错了。

今天是雌燕头一次留在家里过夜。

六月三十日。

建窝的工程完工了。雌燕就一直待在窝里，不出门了——准是下第一个蛋了。雄燕不仅给雌燕衔来些小虫子，还不住声地唱啊，唱啊，叽叽喳喳地向自己的妻子说着祝贺的话，开心个没完。

一群燕子飞来了。它们是第一批前来贺喜的。它们一只挨着一只从燕窝旁飞过，往小窝里张望一眼，在窝前拍拍翅膀。这时，女主人的小脸正探出窝外，说不定，它们是一个接一个来亲吻幸福的新妈妈的。它们热热闹闹地贺过喜，就飞开了。

公猫费多赛齐对燕子窝里的小生命觊觎已久。它常爬到屋顶上来，从横梁上往屋檐下方窥望。它是不是在急不可耐地等待小燕子出世呢？

七月十三日。

毛脚燕妈妈已经在窝里一连坐了两个星期的月子了。它只在晌午时分，在一天中最暖和的时刻飞出来一小会儿。只有那时暖和的天气才不会让娇嫩的蛋受凉。它在屋顶上方打几个旋，顺便捉几只苍蝇吃，然后飞到池塘边，贴着水面飞掠，用嘴蘸点儿水喝，喝够了，就又急急忙忙回到窝里去。

可是今天，雌燕也好，雄燕也好，夫妇俩时进时出，比平时忙碌多了。我注意到，雄燕衔出一块白色的蛋壳，母燕衔来一条小虫子。不用说，窝里已经有了小燕子了。

七月二十日。

坏了，坏事了！公猫费多赛齐爬上了房顶，几乎把整个身子从横梁上倒挂下来，想伸爪子从窝里掏小燕子！窝里的小燕子啾啾、啾啾，叫得好让人揪心哪。

就在这节骨眼儿上，忽然不知从哪儿飞来一大群燕子，大声吱吱叫着，急匆匆飞着，大伙儿冲上去，几乎要撞击到费多赛齐的脸上了。噢呵！一只燕子险些儿被猫抓住了！噢呵！猫向另一只燕子扑去了……

好啊！这个灰毛强盗，这个费多赛齐，扑了个空，一滑脚，扑通一声，从横梁上摔了下来……

摔倒是没摔死，可也够呛了。它喵呜叫了一声，瘸着腿，踮着脚，走了。看来，它这一跤摔得不轻。

活该！它今后是不敢再来掏燕窝了。

（摘自少年自然科学家韦里卡的日记）

注意!注意!这里是《森林报》!

今天是夏至,是一年当中太阳照射地面的时间最长的一天,是一年当中白昼最长的一天。我们通过无线电与天南海北进行联系。

苔原和沙漠,森林和草原,海洋和山峦,都请注意啦!

在这盛夏时节,在这白昼最长、黑夜最短的日子里,你们那里都在发生些什么?

喂!喂!这里是北冰洋群岛!

你们说的是什么样的黑夜啊?我们已经忘了夜和

夏

黑暗。

我们这里是永昼,二十四小时都是白天。太阳忽而升高,忽而降低,可就是不沉到海里。这样永昼的日子,要延续三个月。

我们这里天不会黑,所以什么植物都长得很快。就像童话里说的那样,那草不是一天一天,而是一个钟头一个钟头地从地面往上跳着长起来;叶子不是一天一天,而是一个钟头一个钟头地茂盛起来;花不是一天一天,而是一个钟头一个钟头地热闹起来。沼泽里长满了苔藓,就连光溜溜的石头上,都生长出五彩缤纷的植物。

苔原苏醒了。

是这样的,我们这里没有斑斓的蝴蝶,没有漂亮的蜻蜓,没有灵敏蹿动的蜥蜴,也没有青蛙和蛇。我们这里没有冬天钻入地下躲藏的、一冬都在洞穴里睡眠的大大小小的野兽。我们这里的土地一年到头都被冰封着,即使是盛夏时节,地面的冰也只化开最表面的一层。

乌云一般的蚊群，在苔原上飞着，发出雷鸣般的声响。因为我们这里没有歼灭蚊子的飞翔名将——那些行动灵敏的蝙蝠。蝙蝠怎么能在这里待得下去呢？它们只能在黄昏和黑夜追捕蚊子啊！然而我们整个夏天都没有黄昏和黑夜，所以就算它们能飞到这里过夏，那不也都得饿死啊！

我们这里的岛屿上，野兽的种类不多，只有旅鼠这种短尾啮齿动物，还有雪兔、北极狐和驯鹿。偶尔有北极熊，从海里游到我们这里来，身子左右摇晃，在苔原上寻找小动物充饥。

不过，我们这里鸟多极了，多得数不清！虽然背阴的地方还能见到积雪，但已经有大批大批的鸟飞往我们这里了。其中有角百灵，有北鹨，有雪鹀，有鹡鸰，所有能歌善唱的羽翼朋友们都飞到了我们这里来。有些鸟，你们可能压根儿没听说过。你们可能知道鸥鸟、潜鸟，也知道䴘、野鸭、雁，但像暴风鹱，或是样子逗人笑的花魁鸟，你们可能连听都没听说过。还有许多稀奇古怪的鸟，连我们也叫不出它们的名字呢。

鸣叫！喧闹！歌唱！

整个苔原，连光溜溜的岩石都让鸟窝占据了。有些秃岩上，星罗着鸟窝，千万个鸟窝一个挨着一个，只要石头上有小凹坑，哪怕小得只能容下一个蛋，就有鸟去做窝。那样的哄闹，那样的欢腾啊，就跟你们在鸟市所见的一个样！

如果有猛禽斗胆飞近这里，那么立马就会有大群的鸟飞起来与之抗争，奋身向它扑去，仅凭惊天动地的喧叫声，就能把这些强盗的耳朵震聋，况且，还有鸟嘴噼里啪啦如雨点般猛啄过去。为了维护自己新生孩子的安全，面对不共戴天的仇敌，不论是谁都会拼命的。

你现在知道了，我们苔原上，夏天有多快活！

你会问："你不是说，你们那里的夏天没有黑夜吗，那么鸟兽都什么时候休息，什么时候睡觉呢？"

它们几乎就不睡觉。它们忙啊，没工夫睡啊！打个盹儿，就接着干活了：有的找食喂自己的孩子，有的做窝，有的孵蛋……谁都有忙不完的事，谁都不闲着，因为我们这里的夏季很短。

睡觉？到冬天再睡觉，也为时不晚，它们会在冬天睡够一年的觉。

◆◆◆◆◆◆◆◆◆◆◆◆◆◆◆◆◆◆◆◆◆◆◆◆◆

喂！喂！这里是中亚细亚沙漠！

我们这里恰恰相反，现在大家都在睡觉。

我们这里，太阳整天都毒辣辣的，把草木都灼烤死了。最后一场雨是什么时候下的，我们都记不起来了。可说来也很不可思议，就这样晒着，草木也没有全部枯死。

在这些晒不死的草木中，有一种叫骆驼刺，它地面上的部分有大约半米高，根可以钻到火热的土地的深处去，能钻五六米深呢。在那里，它可以汲取到地下水以滋养自己。有些矮树和草，不长叶子，只长绿色的细毛，这样，它们就可以减少水分的蒸发。我们这里的沙漠里，矮树一片一片的，你放眼望去，在这些无叶丛林里见不到一片叶子,只有绿色的细枝。

风一刮起来,沙漠里就卷起灼烫的灰沙,像密布的乌云,能把太阳都遮蔽了。

突然之间,沙漠里传来一阵咝咝、嗖嗖的响声,像成千上万的蛇,边蹿边叫,听起来让人毛骨悚然。其实,这不是蛇,而是无叶树林的细枝,它们被风刮得在空中像鞭子似的疯摇疯抽,发出咝咝、嗖嗖的响声。

真正的蛇,这会儿都在睡觉。黄鼠和跳鼠最害怕的沙蟒,也钻进深深的沙子里去睡觉了。

小兽们也在睡觉。四腿细长的黄鼠用一个土块把自己的洞口堵得严严的,不让阳光晒进去,成天躲在里头睡觉。它们只在大清早出洞来,给自己找点儿东西吃。这会儿,想要找到一棵没被晒枯的小植物给自己充饥,得跑多少路啊。所以,黄鼠们干脆钻到地底下去,它们将长久地睡在地下,睡过一个夏天,一个秋天,一个冬天,直到第二年春天才醒。一个年头,它们就出来溜达三个月,其余的时间都是在地下睡觉。

蜘蛛、蝎子、蜈蚣、蚂蚁,它们为了躲避毒辣燎身的太阳，都躲藏了起来，有的躲在石头底下，有的躲在背阴的土里，它们到夜里才爬出来。行动敏捷的蜥蜴和爬得很慢的乌龟也看不到了。

野兽都搬到沙漠边缘地带去住了，在那里，它们容易喝到水。禽鸟们早已孵出了小鸟，带上自己的孩子飞走了。留在这里不走的，只有那些飞得快的沙鸡，它们可以飞到一百来千米外的小河边去，喝够水，并且装满嗉囊，随后急急忙忙飞回自己的窝里来喂小鸟。飞这样长的路程，在它们看来算不了什么。不过，它们也并不愿在沙漠久留，一旦雏鸟学会飞翔，它们也就要离开这个恐怖的地方了。

只有人不怕沙漠。

人在这里挖掘灌溉用的沟渠，把水从高山上引来，让死寂的沙漠变成绿茵茵的牧场和农田，让这里长出果木，在这里建起果园。

人不怕风，不怕沙浪，是因为人能够同水、同植物缔结联盟。有人工灌溉的地方，密密层层的树木就像绿色的长城屹立不倒，青草把无数细根扎进地里，抓住了沙粒，这样，沙丘也就不能再越过我们给它划定的界线。

喂！喂！这里是乌苏里大森林！

我们乌苏里大森林，不像西伯利亚大森林，也不像热带雨林。这里有松林，有云杉林，有爬满了葎草和野葡萄藤的阔叶树林。

这里的野兽有驯鹿、斑羚、棕熊和黑熊，还有东北兔、大山猫、虎、豹、棕狼和灰狼等等。

鸟类呢，有淡灰色的花尾榛鸡和漂亮的雉鸡，灰雁和雪雁，普通的野鸭和栖居在树上的怪模怪样、五色斑斓的鸳鸯，还有长嘴巴、白脑袋的琵鹭。

白天，大森林里宽大的树冠连理交错成一顶绿色大帐篷，阳光透不下来，所以森林里终日黑漆漆的。

一到夜里，我们这里就漆黑一片。其实，白天也跟夜间差不多黑。

现在,各种鸟都已产了蛋,或孵出了小鸟。各种野兽的幼崽都已经长大了,在进行猎食练习呢。

◇◇◇◇◇◇◇◇◇◇◇◇◇◇◇◇◇◇◇◇◇◇◇◇◇◇◇◇◇◇◇◇

喂!喂!这里是库班草原!

我们的田野一马平川,一望无际。

在割完庄稼的田野上空,盘旋着雕、鸢、鹭和游隼。现在光裸的地上已没有什么碍眼的东西了,隔了很远,就能看清老鼠、田鼠、黄鼠和仓鼠从洞里往洞外探头探脑,鹰隼们终于可以轻松地收拾它们了。

在没收割庄稼的时候,这些老鼠们偷吃了多少麦穗啊!现在它们正在搜罗撒在田间的麦粒,搬回洞里去。这是它们在储藏冬粮呢,这些麦粒可以装满它们的地下粮库。在猛禽们收拾老鼠的同时,野兽们也不落后,狐狸在收割后的麦地里捕捉老鼠,白色的艾鼬也来帮我们除掉这些啮齿动物，它们干起活来可利落了。

◆◆◆◆◆◆◆◆◆◆◆◆◆◆◆◆◆◆◆◆◆

喂！喂！这里是阿尔泰山脉！

　　在阿尔泰山脉的低洼盆地里，闷热和潮湿是常态。早晨，露水在热烈的阳光下很快就蒸发了。晚上，草场上空浓雾弥漫，上升的水蒸气冷却后凝成白云，悠悠地飘浮在山顶上。所以，每天天不亮前起来看，都能看到云雾在阿尔泰山脉的顶端缭绕，常年如此。

　　白天，这里的太阳把水蒸气送上天空，水蒸气在空中变成小水珠，形成雨云，当雨云越积越多，乌云密布的时候，雨就从天空落下来了。

　　山上的积雪在夏天不断消融，只有那些最高的峰顶上还是白的，那里满是终年不化的冰雪。在阿尔泰山脉的顶峰上，有一大片的冰原和冰河，那里冷极了，连正午当空的太阳都晒不化那里的冰雪。

但这些山顶上照样有水，雨水和冰水自上而下奔流着，汇成一条条山溪，沿山坡滚滚而下，当它们从断崖上直泻而下时，就成了一条条瀑布。这水不停地往下流，流入江河。河里的水要是实在太多了，就会暴涨而溢出河岸，于是盆地就泛滥起了洪水。

我们这里的气候是立体的，山上什么气候都有。底层的山坡上有茫茫的大森林；往上，有广布在高山上的肥沃草原；再往上，则遍地铺满苔藓和地衣，就像是寒带的广袤苔原；到山顶，那就跟北极一样了，永远是冰天雪地，永远是冬天。

在那最高的峰巅，自然没有野兽走动，也没有飞禽栖息。只偶尔会有些强悍的雕或秃鹫飞上去，在高空用锐利的眼睛从云端俯瞰，搜寻它们要猎捕的小动物。可到了山腰处，形形色色、林林总总的居民就好像居住在一座高楼大厦里那样，种种鸟兽各自盘踞着一层，一切按规矩来，谁该住多高就住多高。这大厦的最高一层是光秃秃的岩石，只有雄野山羊能毫不费劲地攀登上去，在那里住下。住在这大厦次高一层的是雌野山羊，还有跟雌火鸡差不多大小的雪鸡。

在肥沃的高原草场上，住着犄角弯曲的盘羊——一种阿尔泰野绵羊，它们享受着这里丰美的青草。雪豹跟到了这里来猎食它们。这里还住着土拨鼠和成群的鸣禽，麋鹿也在这里。再往下，就是原始大森林了，那里面住着榛鸡、松鸡、鹿，还有熊等。

从前，只有盆地才适合播种小麦。在山上稍高的地方，我们用马来帮助耕种，而在更高的地方，我们用牦牛来犁地。

喂！喂！这里是海洋！

我们的国家，有三面国界是被无边无际的浪花激荡着的，西面是大西洋，北面是北冰洋，东面是太平洋。

我们乘轮船出发，穿过芬兰湾，横渡波罗的海来到大西洋。在大西洋上，我们频繁同外国船舰相遇，有英国船、丹麦船、瑞典船、挪威船。这些船中有商船、邮船，还有渔船。渔船在这里捕捞鲱鱼和鳕鱼。

出了大西洋，我们来到北冰洋，沿欧亚两大洲的洋岸，有一条北方大航线。这里是我们的领海，这条航线是我们勇敢的俄罗斯航海家开辟的。这里，厚厚的冰层封锁着海洋，随时都可能给人带来致命的危险，叫人有来无回。因此，此前人们认为打通这条航线是不可能的。然而现在，你看，由力大无穷的破冰船开道，我们的船长们驾驶着一队队船只，跟着破冰船，循着这条航线航行。

我们在这杳无人烟的地方，看见了许多奇迹。起先，我们沿着大西洋赤道暖流航行。我们在这儿碰到了漂浮的冰山。太阳光映照着的冰山亮晶晶的，直晃得我们眼睛都睁不开。我们在这里看到许多鲨鱼和海星。再往前驶去，暖流就折转向北，流向北极，从这里开始，就是辽阔无边的大冰原了。这冰原在海面上静静地顺着洋流漂浮着，分开，又合拢。我们的飞机在海洋上空侦察，随时把冰原上可以通行的航道通报给船只。

在北冰洋的岛屿上，我们看见了成千上万只正在换毛的大雁，它们是那么无助，那么无奈。它们翅膀上的翎羽都脱光了，因此就飞不起来了。只要把它们围起来，就可以把它们赶进网里去。我们看见了不时露出獠牙的大海象，它们从水里钻出来，趴在冰面上休息。我们还看见了令我们惊叹不已的各种海洋动物：有个头很大的髯海豹；有一种头顶戴个大皮囊的冠海豹，那皮囊可以突然鼓起来，就像是它头上忽然扣上了一顶钢盔！我们看见了许多虎鲸，它们露出让人一看就胆战心惊的大牙，飞速游动，追猎鲸鱼和小鲸鱼。

不过，鲸的事就留到下次再谈吧。我们还将航行到太平洋去，在那儿能看到的鲸鱼将会更多。再见！

（二）

雏鸟出生月

禽兽的新一代让大森林生机蓬勃

　　七月，是夏季的梢尖，大伙儿不知疲倦地把大森林重新调理、重新整顿、重新安排。七月语重心长地说服裸麦向大地低下头去，深深地对它鞠躬致谢。燕麦已经穿上了长褂，而荞麦连衬衣都还没穿上。

　　植物利用阳光把自己养得绿绿的，身高体壮。成熟的裸麦和小麦，把田野变成一望无际的金色海洋。我们把麦子储藏起来，就一年四季都不愁吃的了。

　　我们为牲口储备饲料：一畈畈的青草已经割倒了，堆起了一个个的草垛。

　　鸟儿不像前一个月那样，天天从早到晚叽叽喳喳

夏

了,它们现在顾不上唱歌了。所有的鸟窝里都有了鸟娃娃。鸟娃娃刚出世,通身光溜溜的,没有毛,眼睛是瞎的,在很长一段时间里,它们都需要父母的悉心照料。现在地上、水里、林中,还有天空上,都有可供雏鸟挑选的食物。每窝鸟都不愁吃的!

森林里,到处都可以找到玲珑剔透的浆果,多汁的草莓啊,多汁的黑果越橘啊,多汁的笃斯越橘啊,还有多汁的茶藨子。在北方森林里,则有金黄色兴安悬钩子;在南方果园里,樱桃熟了,麝香草熟了,酸樱桃熟了。草场脱掉了金黄色的衣裳,换上了缀满野菊的花衫。它们雪白的花瓣反射着炽烈的太阳光。这个时候的太阳,是不能跟它开玩笑的,弄不好,就会把自己给灼伤的。

森林报

鸟的劳动日

大清早,天才微微亮,鸟们就飞出去了。

椋鸟一天要干十七小时的活。家燕干十八小时。雨燕干十九小时。而欧亚红尾鸲干活,一天超过二十小时。

我验证过,这些数字都是真的。

它们不这样干不行啊。

一只雨燕,每天至少要回窝给幼雏送食物三十次到三十五次,这样才能喂饱孩子。椋鸟给小鸟送食物每天不少于二百次,家燕每天至少送三百次,欧亚红尾鸲每天要送四百五十多次!

一个夏天,它们消灭的危害森林的昆虫和幼虫的数量,谁能数得清!

它们干活——它们的翅膀没有得闲的时候!

悉心照料孩子的妈妈们

森林里，不辞辛苦照料自己孩子的，不只有以上这几种鸟。

驼鹿妈妈对它孩子的照顾也称得上尽心竭力、细致周到呢。

驼鹿妈妈随时准备为它的独生子付出生命。就算是大黑熊来进攻小驼鹿，驼鹿妈妈也会前腿后脚一齐动员，对来犯者踢踏不饶。吃过驼鹿蹄子的米夏（熊的戏称）大爷，会一辈子记住那苦头的——它可是再也不敢走到小驼鹿跟前来了。

我们《森林报》的通讯员，碰到一只在田野里跑动的小山鹑。这只山鹑就在通讯员脚跟前蹦出来，猛一蹿，逃进了临近的一个草丛里，就躲在那里不出来。

通讯员过去把它逮住了。小山鹑啾啾啾拼命叫唤。山鹑妈妈不知忽然从什么地方奔出来。它看见自己的孩子被人家捉在手里，就咕咕叫着扑了过来，接着又自己摔在地上，耷拉着翅膀。

通讯员以为它受伤了，就放开小山鹑去追它，追山鹑妈妈。

山鹑妈妈在地上一瘸一拐地走着，眼看一伸手就可以逮住它了。可是，当通讯员真伸手去逮时，它又突然闪向一旁，通讯员只好继续追它。突然，山鹑妈妈扑棱扑棱翅膀，从地上飞起，竟然嘟一声飞走了，像是刚才什么事也没发生过。

我们的通讯员这才赶快掉转头来找小山鹑——哪里还有小山鹑的影子啊！原来，山鹑妈妈是故意装出一副受伤的样子———一瘸一拐地走路，把通讯员从它孩子的身边引开，这样孩子就会得救了。它对自己的孩子一个个都卫护得那么好，怎能不叫人感叹啊！它的孩子说多也不多，就那么二十来个！

浆果

各种浆果都熟了。

果园里,人们在采摘树莓、红醋栗、黑醋栗和酸栗。

树林里也能找到树莓。树莓是一种集丛生长的矮树。你从树莓丛里穿过时,它的茎难免被折断。折断的树莓茎落在地上,脚一踩上去,就会咔嚓咔嚓地响。不过,这并不会对树莓造成伤害,因为这些长着树莓的茎本来就不能活过秋天。瞧,这是它的下一代。有无数鲜嫩的茎从它们的地下茎上长出来,要钻出土去,成为地面上的茎。地面上的茎是毛茸茸的,浑身都是细细密密的刺儿。到明年夏天,就轮到它们开花结果了。

在矮树林里,在草墩旁,在伐木场的树桩边,越橘熟了,有一面已经红了。

越橘也长得不高，浆果成堆成堆地结在树梢头上。有几棵越橘，浆果一串串从树梢挂下来，很大，很沉，坠得茎都打弯了，躺在苔藓上。

有时候真想挖一棵移栽到自己家里去，看它是不是在家里也一样生长得好，看看浆果能不能变大一些。但是，在它们没有习惯于家庭栽培以前，它们一定是长不好的。

越橘的浆果很讨人喜欢。它的果实可以保存一个冬天。吃的时候，只要把它用开水冲一冲，或者捣碎，浆汁就会渗出来。

浆果能放一冬也不腐不烂呢！因为它自己有个防腐的好办法。它含有一种安息酸。而安息酸是能够防止果实腐烂的。

（尼·帕甫洛娃）

夏

小熊洗澡

　　一个猎人沿着林间小河的堤岸走着,突然听得树枝咔嚓一声响。猎人一惊,他想准是有什么猛兽在不远的地方,于是他三下两下爬上了树,在树上向四面细细观望。

　　从密林里走出一头大黑熊,是熊妈妈,后面跟着两头小熊。它们在河岸上走着,小熊可开心啦!

　　熊妈妈停下,用牙齿叼起一只小熊的脖子,直往河里扔。小熊尖叫着,四脚乱蹬,但是熊妈妈没有马上将小家伙扶上岸来,直到小熊洗得干干净净,熊妈妈才让小熊爬上岸来。

　　另一只小熊怕洗冷水澡,就往林子里撒腿溜跑了。

　　熊妈妈追上小家伙,啪!打了它一巴掌,接着像叼前一只一样,把它叼起来扔进了水中。

　　两只小熊洗过澡,爬上岸来。这样闷热的天气,它们还披着厚厚的绒毛,凉水使它们爽快透了。母熊带着小熊洗完澡,又躲进了森林,这时猎人才从树上爬下

89

来，回家去。

◆◆◆◆◆◆◆◆◆◆◆◆◆◆◆◆◆◆◆◆◆◆◆◆◆◆◆◆◆◆◆

老猫奶大的兔子

春天，我们家的老猫下了几只小猫，但是我们都把小猫都送了人了。恰好这时我们从林子里捉到一只小兔子。

我们把小兔子放在猫妈妈身边。猫妈妈奶水正多着，胀得它难受，所以它非常乐意喂小兔子，让小兔子吃个饱。

兔子就在这样在老猫的奶水喂养中渐渐长大。它们相处得非常亲昵，连睡也紧紧依偎在一起。

最好笑的是，猫教会了自己的养子跟狗们打架。狗一跑进我们家院子，猫立马扑上去，拼命地乱抓。小兔子也跟在后面追过去，挥动它的两只前腿，咚咚咚，擂鼓似的往狗身上捶打，打得狗毛一撮撮往下飞落。四邻八舍的狗于是就都害怕我们家的猫和猫的养子——就是我们的这只兔子。

❖❖❖❖❖❖❖❖❖❖❖❖❖❖❖❖❖❖❖❖❖❖❖

吃虫的花

有一只蚊子,从林中沼泽地上空飞过。

蚊子飞着,飞着,累了,想喝点儿什么。它看见了一朵花。这花茎秆绿绿的,梢头上挂着白色小吊钟,下面的茎周围生着一片片紫红色的圆叶。小叶子上有茸毛,茸毛上沾着的露珠在阳光下闪着亮晶晶的光。

蚊子落在一片小叶子上,伸过嘴去吮吸露水。却不料,露珠是胶黏胶黏的,把蚊子的嘴粘在上面,动弹不得了。

忽然,所有茸毛都晃动起来,像无数触手伸过来,把蚊子逮住了。小圆叶子合拢来,把蚊子裹卷到里面,不见了。

过了一会儿,叶子又舒展开来,这时一张蚊子的空皮掉在地面上——蚊子的血已经被吸光了。这是可怕的花杀手，是吃虫的花，叫作毛毡苔。它会把小虫子捉住，吃掉。

（摘自少年自然科学家韦里卡的日记）

八月初的铃兰

八月五日。

我们家小河边的花园里，栽种着许多铃兰。

在所有的花中，我最喜欢的就是这种花了。大科学家林奈给这五月里盛开的花儿取名为林兰。我爱它那小铃铛那样好看的花朵，喜爱它白玉般的朴素，喜爱它那富于弹性的绿茎，爱它那淡雅而鲜嫩的长条形叶子，爱它那美妙的扑鼻清香！总之，它上上下下整个儿都那样纯洁又富有朝气。

春天，大清早，我就过河去采铃兰花，每天都带一束回来，养在水里。于是屋子里一天到晚就都洋溢着铃兰花的幽香。在我家这个地方，铃兰是七月里开花的。

而现在是八月初，是在夏末，我心爱的花儿给我带来了新的喜悦。

有一天，我偶然发现，在它们那大叶片底下，有一种淡红色的小玩意儿。我跪下来，拨开叶子，一瞧，啊，那下面是一颗颗略呈椭圆形的橘红色小果实，外壳很坚硬。它们跟花儿一样美丽，像是希望我把它们做成耳环，送给女朋友戴上呢！

（《森林报》通讯记者　韦里卡）

（三）
结队飞行月

鸟飞兽走代表着森林活跃而丰富的生命

八月，是多闪电的月份。夜间，一道道闪电无声地横过天际，照亮了森林。

在这夏季的最后一个月里，草地最后一次换了自己的衣装：现在，它是一片五彩斑斓，花大多是深颜色的，更多的是天蓝色和紫红色。太阳光的威力在一天天减弱，草地需要倍加珍惜行将告别的阳光，要抓紧收集它，储藏它。

大个头果实正在成熟。晚熟的浆果，譬如树莓、越橘什么的，眼看就要成熟了，沼泽地上的蔓越橘、树上的花楸果等等，也都快熟透了。

一些不喜欢毒热太阳光的蘑菇,这时长出来了。它们像是为了躲避太阳,都悄悄藏在树荫里。

树木不再往高处长,也不再往粗里长了。

❖❖❖❖❖❖❖❖❖❖❖❖❖❖❖❖❖❖❖

森林里的规矩变了样

森林里的雏鸟和幼兽都已经长大了,纷纷离窝,自己觅食、自寻出路去了。

春季里,鸟儿进出都是双双对对的,都守在一个固定的地盘。现在则都是带上自己的孩子,满森林飞着寻找食物。

森林居民你来我往,大家都欢迎别个到自己家里来做客。

就是那些猛禽猛兽,也都不死守在原来自己找食的地盘了。过去的那套规矩用不着了:因为野味到处都是,走到哪儿吃到哪儿,要吃多少就吃多少。

森林报

貂、伶鼬和白鼬蹿来蹿去,反正到哪儿都不费多大劲就能找到吃的东西。这不是,傻乎乎的雏鸟啊,没有生存经验的小兔子啊,粗心大意的小耗子啊,满森林都有。

麻雀麇集成一群群一队队的,在矮树林间到处游荡。

鸟群里,有鸟群里约定俗成的规矩。

规矩是这样的:

我为大家,大家为我

谁首先发现敌人,就得拉开嗓门尖叫一声,或者响响地吹一声口哨,以及时警告同类,让大家赶快散开、飞逃。要是有一只鸟遭遇袭击,大伙儿就一齐奋勇相救,冲着敌人大吵大叫,让敌人心惊胆战,晕头转向,放弃袭击。

成百双眼睛、成百双耳朵,在警觉地防御敌人的来袭,成百张尖利的喙,随时准备击退敌人的进攻。那么,加入鸟群的鸟,自然是多多益善。

在鸟群里,雏鸟得遵守这样一个规矩:时时处处用心向老鸟学本事,模仿老鸟的行为举止。老鸟们不慌不忙地啄食麦粒,小鸟也得跟着从从容容地啄。老鸟们抬起头来一动不动,那么小鸟也得傻傻地站住。老鸟们逃跑,小鸟们也跟在后头紧紧相随。

◇◇◇◇◇◇◇◇◇◇◇◇◇◇◇◇◇◇◇◇◇

蜘蛛飞行家

没有翅膀也能飞行吗?

蜘蛛没有翅膀,它动脑筋、找窍门,想出了飞的办法。

瞧,几只蜘蛛变成了气球驾驶员。

小蜘蛛从肚子里抽出细亮细亮的丝来挂在矮树上。风吹过来。吹得蛛丝摇晃、摆动,却不会断。蛛丝跟蚕丝一样,是很韧的,弹性很好。

小蜘蛛蹲在地上。蛛丝在地面与树枝间系着。小蜘蛛在地上继续抽丝,直到蛛丝像蚕茧那样把自己的身子缠起来,裹起来,而丝还继续往外抽。

蛛丝越拉越长。风越刮越猛。

小蜘蛛用它的细腿抓住地面,稳住自己。

一,二,三!

小蜘蛛迎风走去。

把自己身上和矮树连接的丝咬断。

呼啦一阵风刮过来,小蜘蛛被从地面吹起。

它赶紧把缠在自己身上的蛛丝迅速在滚转中放开!

小气球飞升到了空中……飞得高高的,掠过草丛,掠过矮树林。

气球驾驶员从空中往下俯瞰,选择最佳降落地点——在哪里降落对自己最为有利?

身下是树林,身下是小河。再往前飞!再往前飞!

啊,这是个怎样的院落啊——苍蝇黑压压地在粪堆上面旋飞。停!降落!

气球驾驶员把蛛丝绕在自己的身子底下,用细爪子把丝缠成一个小团团。小气球渐渐降落了，降落了！

准备好：着陆！

蛛丝的一头挂在小草上。小蜘蛛落到了地面！

小蜘蛛可以在这里做上个小网，当自己的小家，平平静静地过日子。

许多这样的蜘蛛和蛛丝在空中飘飞——这样的景象只会在秋高气爽的日子里发生。所以，乡间有句俗语说：年眼看要老了。这是说秋来了，空中银发飘飘——这是年的白发呀。

草莓

长在森林边缘上的草莓,一片一片地红了。鸟儿发现了这红彤彤的莓果,就纷纷来叼走了。它们会把草莓的种子撒到很远的地方去。但是,有一部分草莓的后代仍然留在原地,和生它们的母亲成簇成丛地长在一起。

看,在这棵草莓旁边,已经长出了匍匐在地面的细茎。这是草莓的藤蔓。藤蔓的梢端又长出新生的草莓根和草莓芽,生出一簇小叶子。这将又是一棵新草莓。在同一根藤蔓上,有三簇小叶子:第一簇已经扎根了,其余,那梢头上的两簇,还没有发育好。要过些日子才扎根。藤蔓从母本植株向四面八方爬去。如果你要找带着去年的子女的老植株,就得在这一带野草稀疏的地方找。比方说这一棵吧,中间的是母本植株,周围扩开去的几圈都是它的孩子,一共有三圈,每圈有五棵。

草莓就像这样一圈又一圈地向四面扩张,步步为营,占领越来越大的地面。

(尼·帕甫洛娃)

❖❖❖❖❖❖❖❖❖❖❖❖❖❖❖❖❖❖❖❖❖❖❖

八月的雪花

昨天,我们这儿的湖上,纷纷扬扬飘起了雪花。那雪花那么轻盈,那么洁白,眼看快落到湖面上了,却又腾上了天空,旋转着飞舞了一阵,再从空中徐徐落下。而天空则一碧万里。太阳光还灼人皮肤呢。热空气在灼人的阳光下流动着,一丝风也没有。

但是,湖面上却大雪纷飞。

今天早上,整个湖面和湖岸上撒满了一片片死僵僵、干巴巴的雪花。

这雪花也奇怪,灼热的太阳晒不化它,也不能把它照得闪闪发亮。这种雪花是暖的、脆的。

我们走近岸边去看时,这才闹明白:这压根儿不是雪花,是千千万万带翅膀的小昆虫,是一种蜉蝣。

它们是昨天从湖水里飞出来的。它们在黑漆漆的湖底住了整整三年。它们在湖底的时候是些形状怪异的小幼虫,在淤泥里挤挤攘攘地蠕动着。它们在水底下,吃的是淤泥和臭烘烘的水苔。它们一出生就待在黑暗里,从没有见过太阳。

就这样过了三年,一千多天。

昨天,那些幼虫爬上了岸。它们脱掉身上那身丑陋的皮,张开轻盈的翅膀,拖出三条尾巴——三条细长细长的线,升到空中。

这就是我们看到的"雪花"。

它们上岸后只有一天的寿命,在空中寻欢作乐、尽情飞舞。人们因此称它们为一天虫。

整整一天,它们在阳光下跳舞,像轻盈的雪花般旋飞。雌蜉蝣降落到水面,把它们很小的卵产在水里。当夕阳西沉、黑幕降临的时候,湖岸和水面上撒满了蜉

夏

蜉的尸体。

　　蜉蝣的卵将孵化成小幼虫。幼虫又将在黑暗的湖底度过整整三年，然后变成快活的短命飞虫，展开翅膀飞到湖面上空。

乡村消息

东躲西藏的灰山鹑

夏季的莓果已经过时了,而果园里的苹果、梨和李子正熟起来。树林里到处是蘑菇。在铺满青苔的湿地上,蔓越橘红得很好看。孩子们用棍棒去打一串沉甸甸的红山楸果。

灰山鹑一家这时候日子正不好过。它们一直在躲避,在逃跑。拖拉机的轰隆声总是撵着它们,起先它们从秋播庄稼地搬到春播庄稼地来。现在有的飞了,有的搬家了,从这块春播庄稼地搬到那块春播庄稼地里去。

灰山鹑躲进了马铃薯地。它们躲在那里,倒是谁也不会去打搅它们。

然而,现在农人又到马铃薯地里来挖马铃薯了。马铃薯收割机开始转动了。孩子们点起了火堆,在火堆里煨马铃薯吃。孩子拿黑手去抹脸,结果个个脸上都涂得黑漆漆的，像鬼一样，让人看一眼就害怕。

灰山鹑从马铃薯地里跑出来了，飞走了。它们的雏鸟已经长大了。它们得逃出猎人的视野。躲到哪里去好呢？它们得去找食啊！幸好秋播的黑麦已经长高了，有地方躲避猎人敏锐的眼睛了。

猫头鹰为什么不飞走

八月二十六日，我赶大车去运干草。跑着，跑着，忽然，看到一个柴堆上蹲着一只好大的猫头鹰，它的两只眼睛一动不动地盯着柴堆。我不禁诧异地喝住了马，琢磨起这奇怪的猫头鹰，它离我这么近，却不飞开，是什么原因呢？我下了车，向前走了几步，捡起一根树枝，朝猫头鹰扔过去。猫头鹰飞走了。它才一飞走，就从柴底下飞出几十只小鸟来。噢，原来是这么回事。这些小鸟都是为了躲过猫头鹰刚劲的利爪，而藏在柴堆底下的。

(《森林报》通讯记者　波里索夫)

◇◇◇◇◇◇◇◇◇◇◇◇◇◇◇◇◇◇◇◇◇◇◇◇◇◇◇◇

蜜蜂哪儿去了

　　一群蜻蜓飞到养蜂场来捉蜜蜂吃，却左右抓不到蜜蜂。这就奇怪了，怎么养蜂场里没有蜜蜂呢？原来七月中旬以后，蜜蜂就陆续搬到林中去住了，那里的帚石南花丛，正是它们需要的。

　　它们将在那里酿制稠浓而金黄的帚石南花蜜。帚石南花谢了，它们才又搬回来。

(尼·帕甫洛娃)